arc-en-ciel
cascade

Collection dirigée par Caroline Westberg

ISBN 2-7002-2654-2 • ISSN 1142-8252

L'école d'Agathe

Texte de Pakita
Images de J.-P. Chabot

Audrey
veut toujours commander

RAGEOT•ÉDITEUR

Vous connaissez Audrey ?
C'est la plus grande de la classe avec Paul.

Audrey, elle veut toujours **commander** tout le monde.

Et le plus drôle, c'est que tout le monde **obéit** toujours à Audrey, même notre maîtresse, madame Parmentier.

Enfin, la maîtresse, elle n'**obéit** pas vraiment.

Souvent, Audrey arrive à l'école et crie :

– Aujourd'hui, les filles, **interdiction** de parler aux garçons !

Et on ne parle pas aux garçons.

– Aujourd'hui, les garçons et les filles, on joue à chat-bougie !

Et on joue à chat-bougie.

– Aujourd'hui, tous ceux qui ont des bonbons les partagent avec les autres !

Et on les partage ! (Mais bon, ça, c'était une bonne idée. Je n'en avais pas et, grâce à elle, j'en ai mangé.)

Ce matin, Audrey a crié avec sa grosse voix :

– Aujourd'hui, on est Robinson Crusoé, chacun sur son île à la récré !

Vous connaissez l'histoire de **Robinson Crusoé ?**

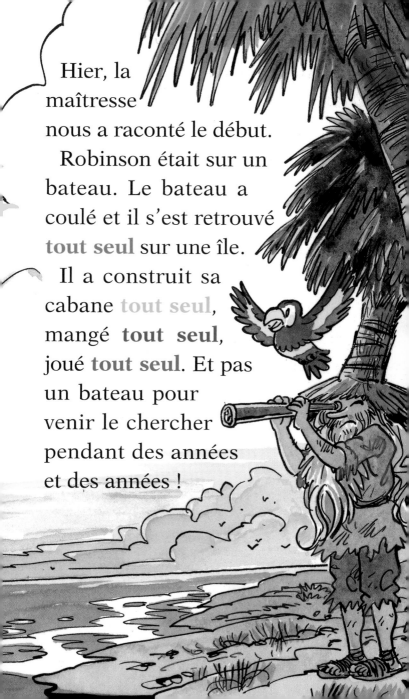

Hier, la maîtresse nous a raconté le début.

Robinson était sur un bateau. Le bateau a coulé et il s'est retrouvé **tout seul** sur une île.

Il a construit sa cabane tout seul, mangé **tout seul**, joué **tout seul**. Et pas un bateau pour venir le chercher pendant des années et des années !

Comme d'habitude, on a **obéi** à Audrey.

En classe, on a été très sages (on commençait à être sur notre île).

Et, à la récré, on est vite descendus avec une craie.

Comme les autres, j'ai tracé avec ma craie un grand rond autour de moi.

Dans mon île, j'ai dessiné un arbre pour me faire de l'ombre et un perroquet dans l'arbre.

Robinson parlait souvent à son perroquet pour se sentir moins seul. Mais moi, je n'allais pas parler à un perroquet dessiné à la craie !

Je ne suis pas complètement **zinzin** !

Quand je me suis retournée, j'ai vu l'île d'Aziz.

Elle était magnifique ! Il y avait des oiseaux **multicolores**, des arbres **géants**, et même des meubles.

Il faut dire qu'Aziz est très fort en dessin et en imagination.

En plus, il a une boîte de craies de couleur !

De l'autre côté, il y avait l'île de Zizette (ma sœur de cœur) et celle d'Alexandre, un copain très gentil, qui a un grand frère en CM1.

Déjà, ceux des autres classes s'arrêtaient pour nous demander ce qu'on fabriquait. On faisait semblant de ne pas les voir.

Et tout à coup, j'en ai eu assez.
J'ai regardé Zizette
et Alexandre.

Ils m'ont fait des grimaces qui
voulaient dire qu'ils s'ennuyaient.
Un peu plus loin, Théo était
assis dans son rond.
Il ne faisait rien.
Il a horreur
du dessin !

Soudain, Audrey est arrivée. Elle était sortie de son île pour nous surveiller !

Je n'allais quand même pas tourner en rond dans mon île pour chasser les deux chocos que j'avais dans ma poche !

Et toi, Agathe, va à la chasse pour te nourrir !

Décidément, ce jeu m'énervait, mais je n'osais pas le dire.

Personne n'avait jamais pensé à **désobéir** à Audrey.

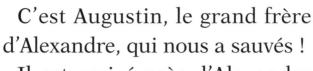

C'est Augustin, le grand frère d'Alexandre, qui nous a sauvés !

Il est arrivé près d'Alexandre et il lui a demandé en rigolant :

– Alors le nain de jardin, qu'est-ce que tu fais ? Tu t'es enfermé tout seul dans un rond de craie ? Tu veux que je t'aide à sortir ?

Alexandre n'a pas répondu. Il obéissait bien à la consigne d'Audrey.

Augustin a continué :

– T'as perdu ta maman ? Tu veux que je te porte ?

Pin-Pon Pin-Pon Pin-Pon !

C'est l'hôpital des fous, je viens chercher la livraison !

Et il s'est mis à courir autour de l'île d'Alexandre.

– Alors minus, tu as perdu ta langue ?

Et là, Alexandre a craqué :

C'est Audrey. Elle veut qu'on soit Robinson Crusoé. Mais j'en ai marre d'être Robinson, marre, marre, marre !

Zizette s'est approchée.

– Moi aussi, j'en ai assez !

Alors j'ai dit :

– Oui ! C'est nul comme jeu !

Augustin, qui connaît toute l'histoire de Robinson, nous a dit :

– Robinson n'a pas toujours été seul, il a rencontré un homme sauvage qu'il a appelé Vendredi et qui lui a obéi.

– Vendredi a obéi à Robinson, mais nous, on ne veut plus **obéir** à Audrey ! a dit Zizette.

– On en a **marre d'obéir** à Audrey ! On n'est pas des esclaves ! j'ai ajouté.

On est sortis ensemble de nos îles et on s'est dirigés vers Audrey en criant :

– **On n'est pas Robinson, on n'est pas Vendredi ! C'est fini ! On ne t'obéit pluuuus !**

Toute la classe nous a rejoints, sauf Aziz qui dessinait un radeau pour partir de son île.

Mademoiselle Lafleur, qui surveillait la récré, (elle est très gentille), est arrivée :

– Qu'est-ce qui se passe par ici, c'est le magasin des réclamations ?

On lui a tout raconté. Audrey a dit qu'elle aussi en avait assez de jouer à Robinson, mais qu'elle ne savait pas comment changer.

Alors mademoiselle Lafleur lui a expliqué que ce n'était pas à elle d'avoir des idées pour tout le monde, qu'**il fallait laisser chacun s'exprimer.**

Et à midi, après la cantine, Audrey a crié :

Ceux qui ont ENVIE de jouer à la maîtresse d'école, venez avec moi sous le préau !

Je me suis dit qu'elle avait bien compris le conseil de mademoiselle Lafleur.

Mais elle a ajouté :

C'est **MOI** qui fais la maîtresse !

Et voilà !

Elle recommençait déjà !

On ne change pas les gens comme ça !

Oh là là !
Il est tard !

Demain, j'ai atelier théâtre. Pourvu qu'on ne joue pas à Robinson !

Mais non je rigole !

En tout cas, ce qu'il y a de super, c'est que si Audrey continue à **commander,** nous, on arrête de lui **obéir** !

Allez, bonne nuit **!!!**

L'école d'Agathe

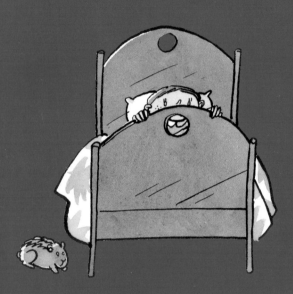

Achevé d'imprimer en France en mars 2005
par I. M. E. - 25110 Baume-les-Dames
Dépôt légal : mars 2005
N° d'édition : 4169